ISBN 978-2-211-22438-3

© 2016, l'école des loisirs, Paris, pour la présente édition
dans la collection « Titoumax »
© 2014, l'école des loisirs, Paris
Loi numéro 49 956 du 16 juillet 1949 sur les publications
destinées à la jeunesse : novembre 2014
Dépôt légal : avril 2016
Imprimé en France par Pollina à Luçon – L74740

Édition spéciale non commercialisée en librairie

Dorothée de Monfreid

Dodo

loulou & Cie
l'école des loisirs
11, rue de Sèvres, Paris 6ᵉ

Retrouvez les toutous dans d'autres aventures